RANMA NIBUNNOICHI

乱馬 1/2

【七笑拳】

2

TAKAHASHI Rumiko

高橋留美子

★前情簡介★

從中國回來的姬亂馬父子精於拳法。但是若被噴到冷水，父親姬玄毛就會變成熊貓，而兒子姬亂馬就會變身爲女生。

這是當他們在中國的咒泉鄉修行時，所發生的悲劇。不過，只要再澆上開水，就會恢復原形。

回到了日本的姬亂馬，寄食於「無差別格鬥流」的天道道場中。由於亂馬是天道家的三女兒－錢小茜的未婚夫，所以受到天道家熱烈的歡迎。

不久，亂馬就轉學進入風林館高中成爲錢小茜的同學。

亂馬和錢小茜之間的感情，今後，會如何發展呢？

亂馬½ **2**

目次

■高橋留美子■

PART.1
笑起來
很可愛喔

小霞？
……
許大夫喜歡我姊姊小霞。
看他那種態度就知道了。

你們兩個在做什麼？
啊！沒有。
不是嗎？
しーーん
ぽん
ぷぅ
有問題！
什麼意思？

來。我看看。
不能準時回家了。
喔！
有球的痕跡⋯
是被小茜的球打到了吧？
咦？
爲什麼？
由陷入的深度和角度準沒猜錯的。
啊！
連打球也不忘露出凶暴的本性。
什麼？

你不說話，沒人當你是啞巴！
………
啊！
果真是被小茜打到的。
哼！
開玩笑的……
別介意。
算了吧！
別生氣。
呆子
我……
提起精神來。
是提起凶相吧。
是你自己太笨不會接球！
別動！
要擦藥。

カラララ…
打擾了。
人体の
姊姊
ごきゅ
啊！

妳好！小霞。
啊！
怎會有這可怕的聲音……
亂馬！你怎麼啦？
不！他最近頗爲得意的。
不是嗎？亂馬？
我是亂馬的父親！
ぽんぽん
大夫。
有什麼事嗎？
我跟你借的書……
大夫。
還有……
這不知道合不合你口味……

啊！這東西…
當口罩，
很合適。
不，不，不是這意思。
眞好吃。
ぽりぽりぽりぽり
大夫。
那是盤子呀！
大夫！
啊！亂馬，你有什麼事？
我脖子痛。
又受傷了？眞是的。
不是。
這樣就好了。
啊

抱歉！玄毛先生，倒杯茶給小霞。
我在這兒。
大夫！
許大夫向來都這麼好玩嗎？
這……
姊，妳不在時……
完全不同。
喔？
先走了。
小茜？

她在急什麼？
怎麼不等我一起走？
你是誰呀？
我是姬玄毛！
……
你……什麼時候來的？
ぴしっ
夏天
さわさわ
ほねつぎ
小乃接骨院
ほねつぎ
你們在看什麼？
小霞來這兒。
不是來看病的。
現在，胡亂走路都會要人命的。
許大夫也不是普通的大夫。

小茜？
好像在道場⋯⋯
你的頭怎麼了？
たったったっ
カ
ガシャーン
ぴたー

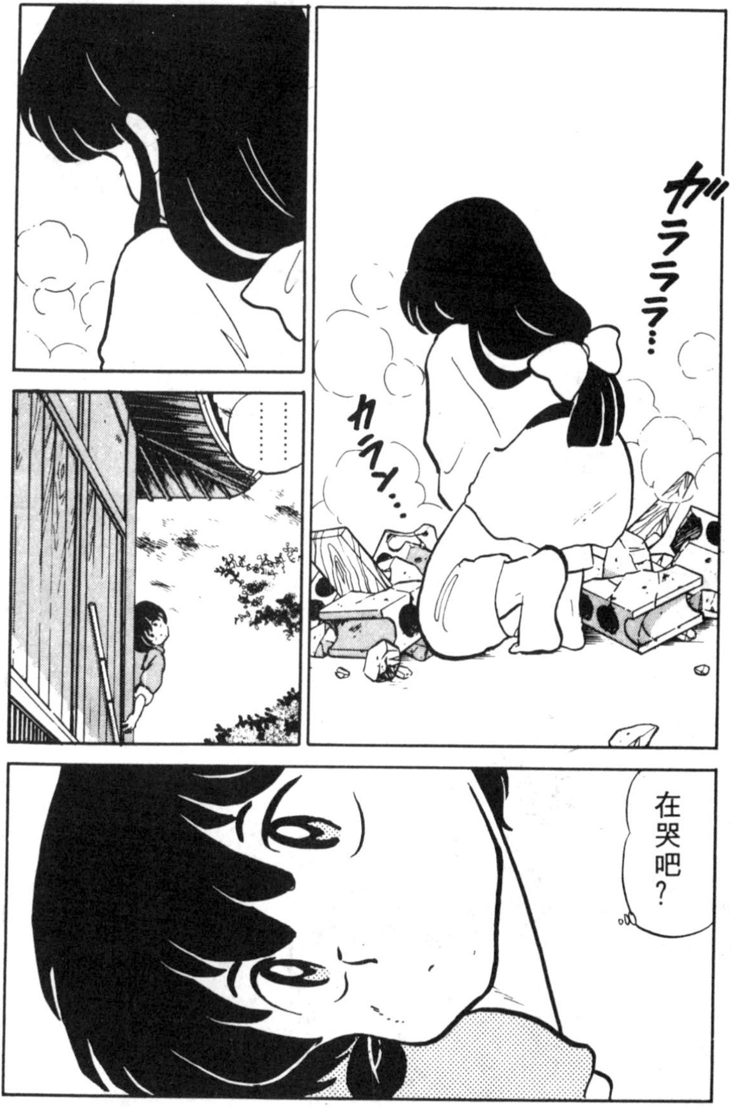
ガラララ…
カラン…
……
在哭吧？

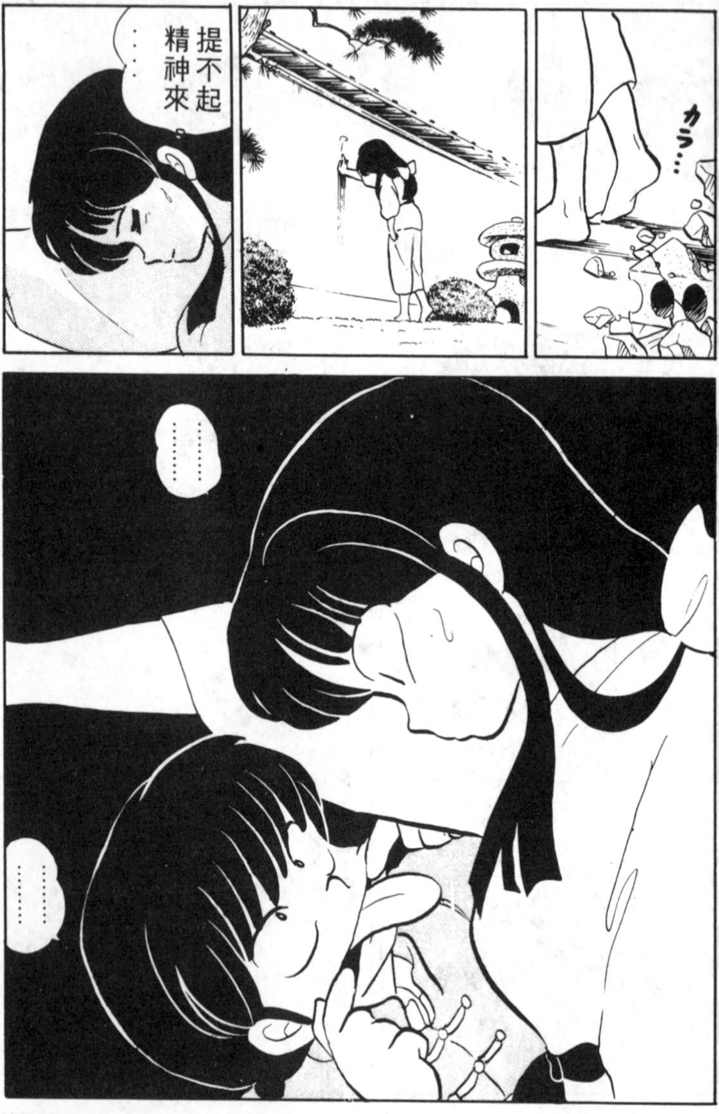
カラ…
提不起精神來……
……
……

你來幹什麼！
嗯！怎麼那麼沮喪？
亂馬，你是來嘲笑我嗎？
還是有別的事？
我只是來看看妳。
……
ひょい
啊！
啊！
こきこき
こき
脖子好了。
要不要來交手？
咦？

いろ

認真打！
好。
出手呀！才能消解我的怨氣。
妳‧‧‧‧
妳這樣發洩，不累嗎？
不用你操心。
好凶哦！

笑比較可愛。
啊！
ドキ…
我喜歡這樣。

よろろ…
くらくら
ぺた
狡……
狡猾！
我不理你了。

チャッ…
呼！
笑比較可愛。
眞的嗎？
ニコッ

ぐわら
怎麼一個人在傻笑？
是不是心情好點了？
脖子還沒治好嗎？
治好了，但是……

PART.2
追殺亂馬的男子

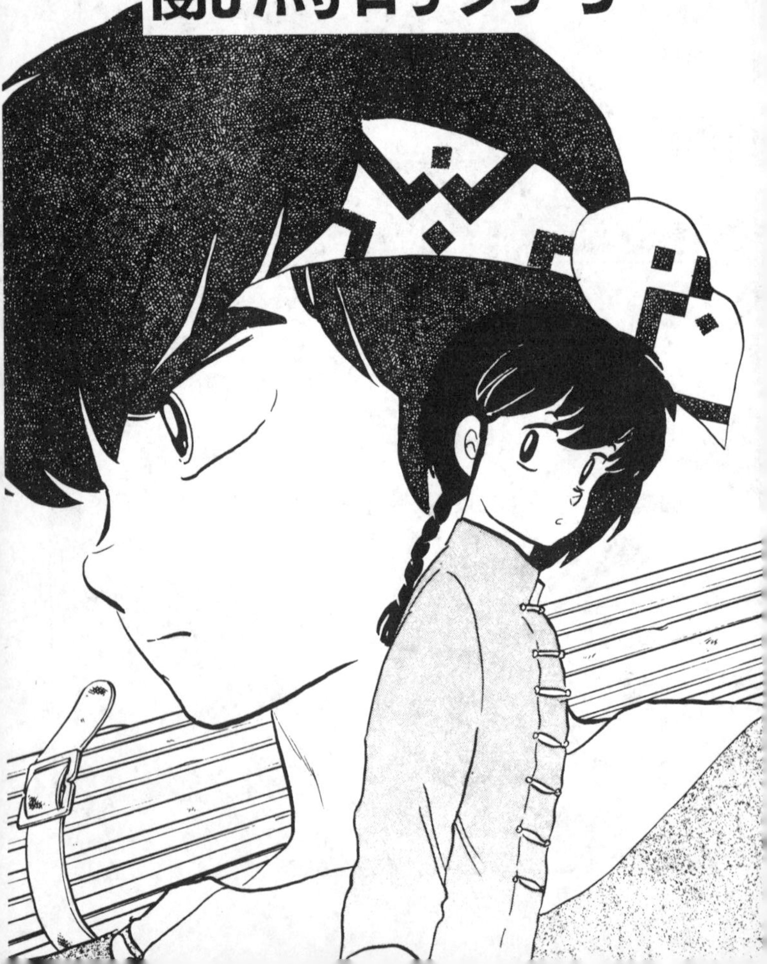

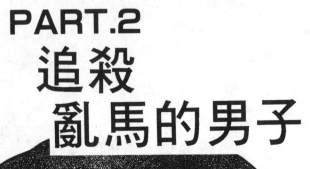

カンカンカンカン
野豬呀！
好大的野豬！
バキバキ
NO!
OH MY GOD

ドドドドドドド
HELP ME HELP!!
救命！
啊!!
喂！
危險！
快逃啊！
ドドドドド

啊！
竟然只用一隻手…
ぐらっ ぐらっ

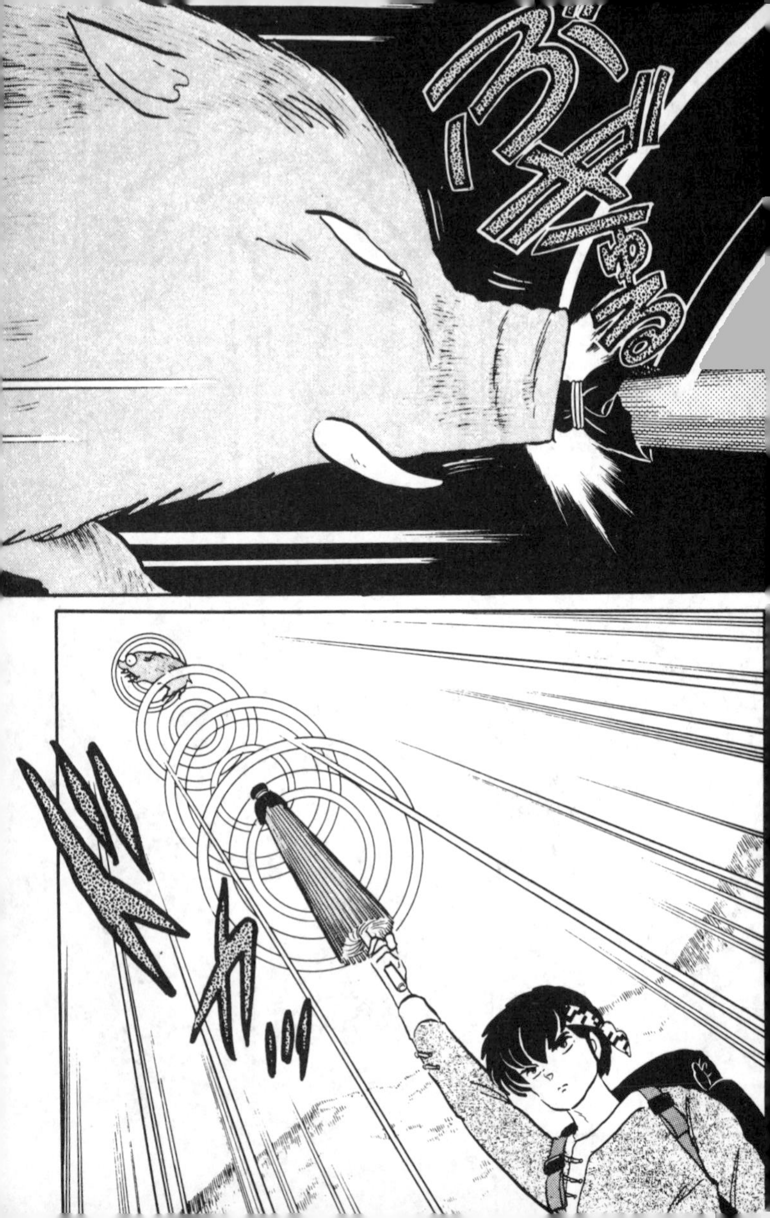

嗚……
啊！
野豬被他打倒了。
你是武術家？
隱居在深山裡嗎？
……

風林館高中在那？
風林館高中？
呃？地圖……讓我看看。
咦？這是東京的地圖。
這裡是四國呀！
是嗎？眞是打擾了。
迷途的孩子……
亂馬，你等著吧！

男人和男人的決鬥，決不允許逃跑！
ザー
此時的東京—
有一個男人……
どたたた
亂馬！等一下！
不！絶不！

我絕對不穿女孩子的衣服。
但是你的衣服全拿去洗了呀！
馬上去燒開水了。
裸體亂跑，成何體統。
妳管不著！
這可是我家。
對呀！
可以先暫時穿我的衣服呀！
這一件好了。
我不穿裙子哦！

嗯！眞合適。
眞漂亮。
這是什麼衣服？
我胸部好難過。
むかっ
那……這裡呢？
太鬆了。
亂馬，我要殺你。
來呀！
誰怕誰呀！

——1週以後——

咦？
他是誰呀？
喂！
ぐいっ
啊！什麼事？
風林館高校
風林館高中在哪？
什麼？
ひゅ——……
風林館高校
……
姬亂馬人在那？
亂馬他…
ズイッ
風林館

別跑，亂馬。
てててて…
我在這兒。
喂！
嗯？
殺氣！

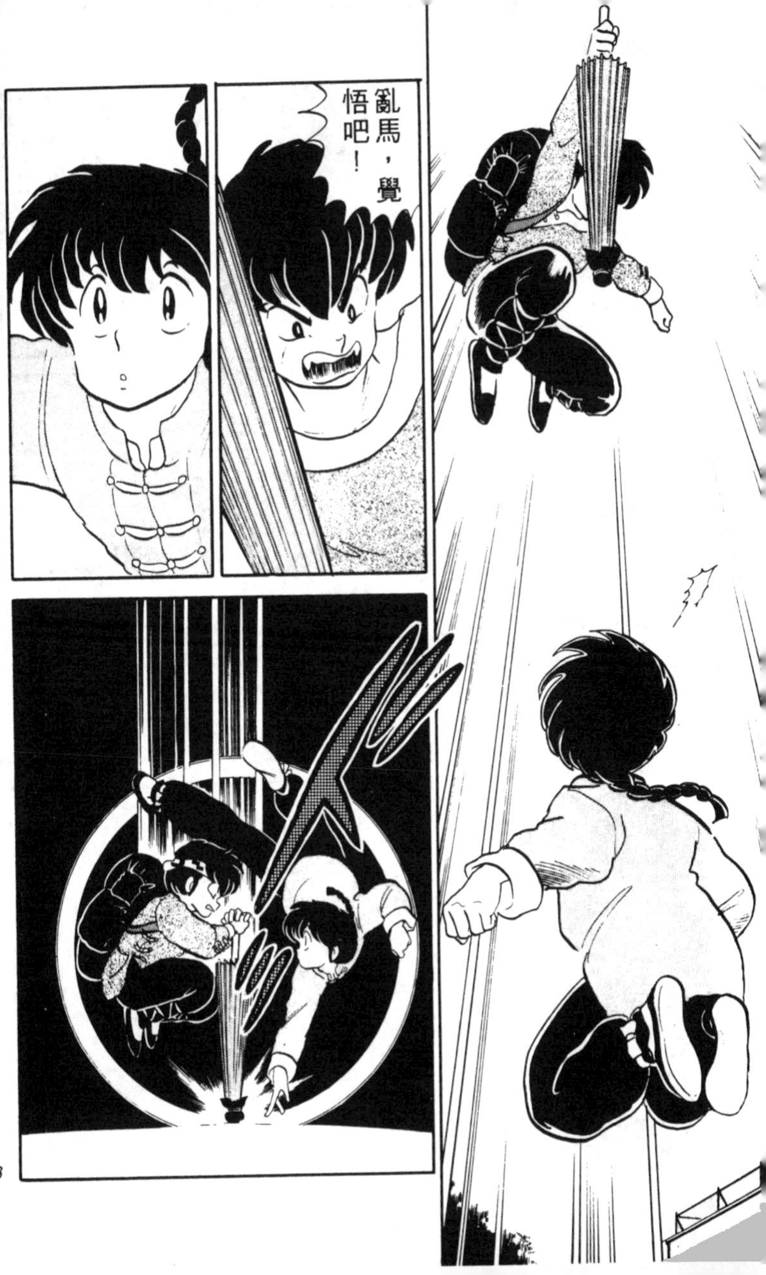
亂馬，覺悟吧！

哇！
ト…
你是……
哼！還是沒變。
逃得好！亂馬！

你們認識！
對了！
哈！
是你！
ざわ ざわ ざわ
你眞的想起來他是誰了嗎？
我只有一句話要問你，
爲什麼你那時不來決勝負？

啊！我想出來了。
你是以前和我同屆的……
響良牙！久違了。
回答我的問題！
你亂說！我在約定地等了三天三夜！
三天……
那……爲什麼我第四天到那裡時……
你已經不在了！
我也有一個問題要問你！

町内
良牙家
乱馬家
一本道
500米
決闘場
空地
爲什麼你讓我等得那麼久？
你……
你可知道我走了四天才到達那裡！
ばかかおめー
ここは浅草
ここは原宿じゃん
だっせー！
那一個到達的較辛苦？
方向弄錯？
智障！
超級路痴！
毀了男人間的約定……
爲什麼跟你父親一起逃到中國？

那麼……你是來決鬥的了？
ばっ
決鬥？錯了！
スィ…
ぎゅ
來復仇！
ぎゅーーーん
すいっ
ぎゅわーーーん
媽呀！
スパッ
ぱ

はっ
我將用各種的手段，
來粉碎你的幸福！
我的幸福？
我有什麼幸福？
おそる おそる
我也不知道。

PART.3
對決

カリリッ
カリリッ
カリリッ
カリッ…
カリ…
亂馬！
我要向你復仇！
因爲你，我的人生……
完全破碎了！
カリッ
カリッ

你的喉嚨……
將像這胡桃一樣碎了……！
等著吧！亂馬！
怎麼了，亂馬？
天道道場
你要怎麼對付他？
我也不知道。

亂馬！你的信，是響良牙寄來的。
響良牙？
ぱた ぱた
決鬥邀請函
嗚……
喂……你怎麼會跟他結下這怨仇？
怎麼了？
想出來了沒？
ぽんっ
きんこーーーん
那是在剛開學不久……
ドドドドドドド

吃午飯了！
購買部
不快點買不到麵包。
這是今天最後的一個麵包。
拿去！
我要！

ひゅ
我要買……我要買麵包。
你……
叫什麼名字?
姬亂馬。
姬亂馬,我不會忘記這麵包的怨恨。
那時他含著怨恨的淚……

男校的午餐時間就像……
是戰爭一樣。
男校？
那時候，一下課，大家就……
すざっ
爭著搶麵包。
じょぼぼぼ
好了！
好了。
啊！
這是今天最後一個麵包。
ガキッ
ぽふ

不僅是這樣！
ばきっ
這是最後一個。
不要……
奶油麵包。
三明治！
紅豆麵包。
還有芋頭麵包等……
う～ん う～ん
哼！
這怨恨是堆積而成的。
沒辦法！

咦？
亂馬！
邀請函上寫的是今天。
放心，那傢伙是個超級路癡。
說不定現在…
東京是這兒吧？
是這個方向！
不是那方向。
——1週之後——

喂！這兒。
亂馬的決鬥。
……

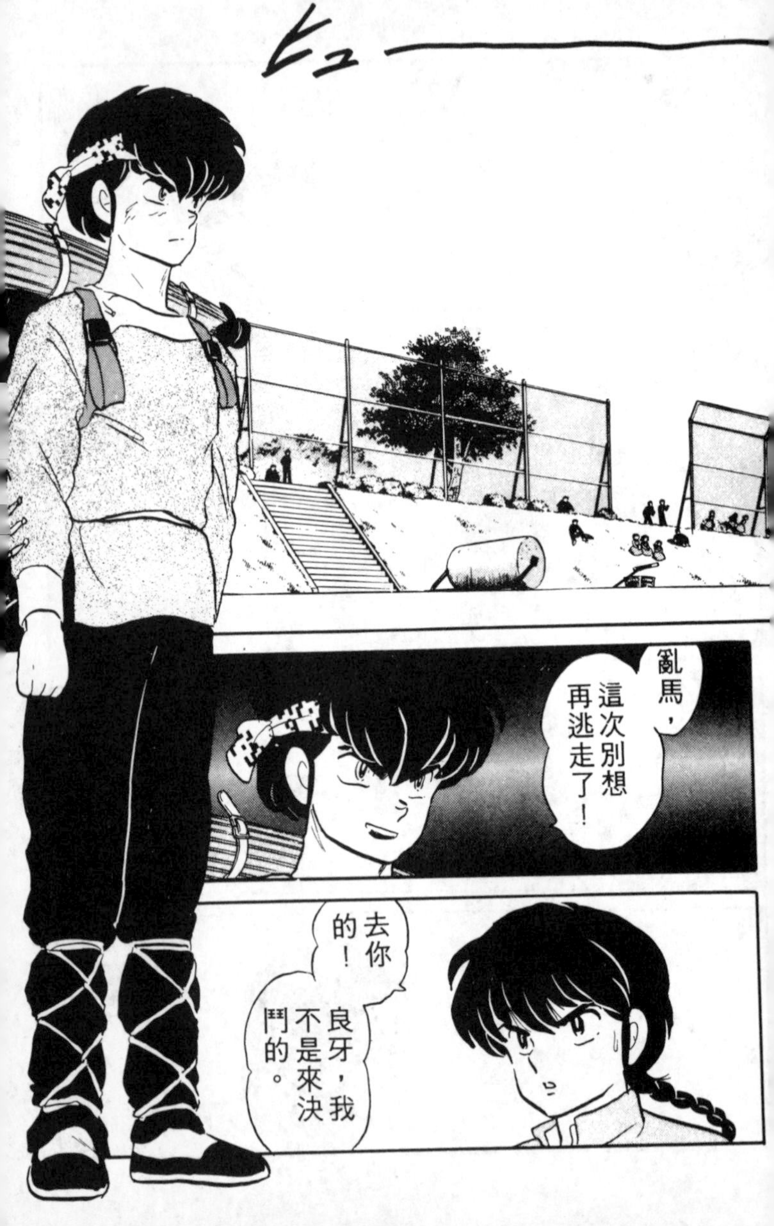
ヒュ
亂馬，這次別想再逃走了！
良牙，我不是來決鬥的。
去你的！

你拿著吧！
しゅっ
ぱん…
カレーパン
……
這是什麼？
如何？就讓這件事情過去吧？
哼！
你想就此一筆勾消！
那時只是一種慾望……
瞧！是泡麵。

奶油麵包。
芋頭麵包！
綠豆麵包。
如何！這些都給你。
我……
你想到那兒去了！
你不是爲了麵包的宿怨嗎？
誰說是爲了麵包的？
這些……我已經不想要了。
我可是存了一個禮拜哦！

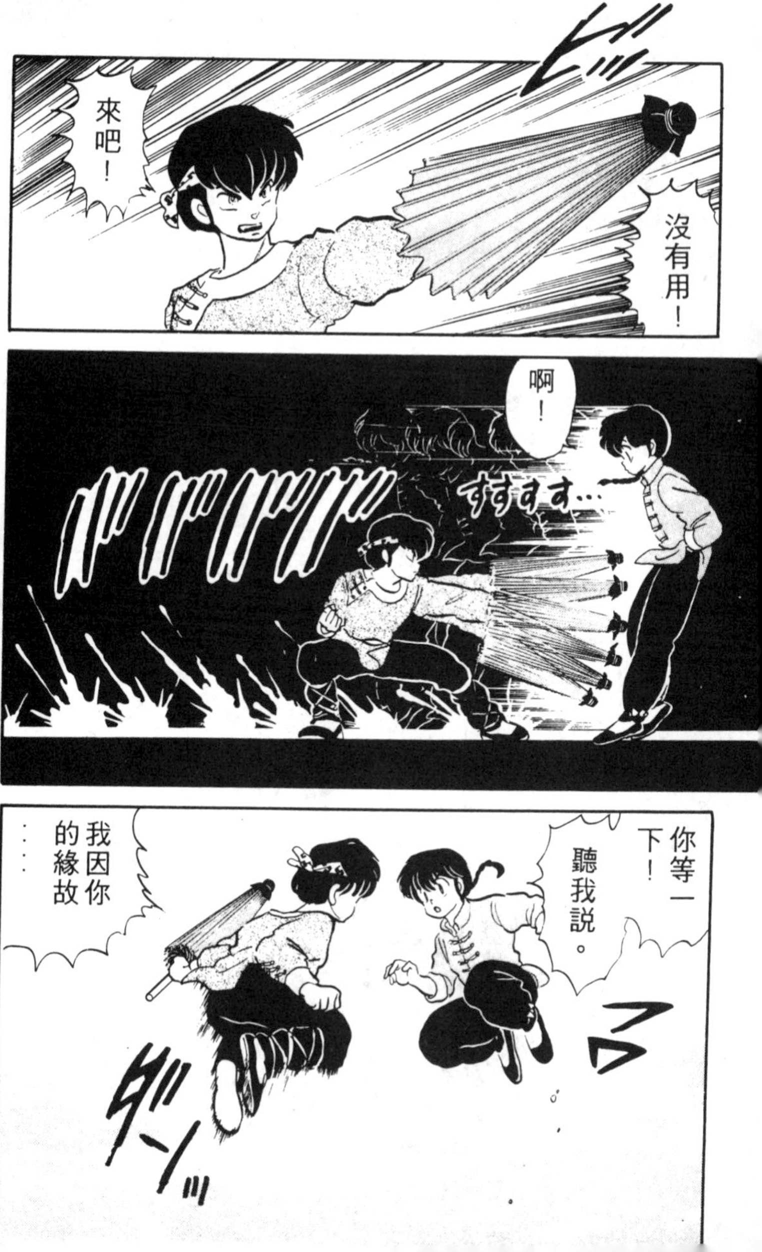
來吧！
沒有用！
啊！
すすすす…
你等一下！聽我說。
我因你的緣故……

去過地獄！
你在說什麼？
我說什麼！
我的痛苦，
你完全不知道！

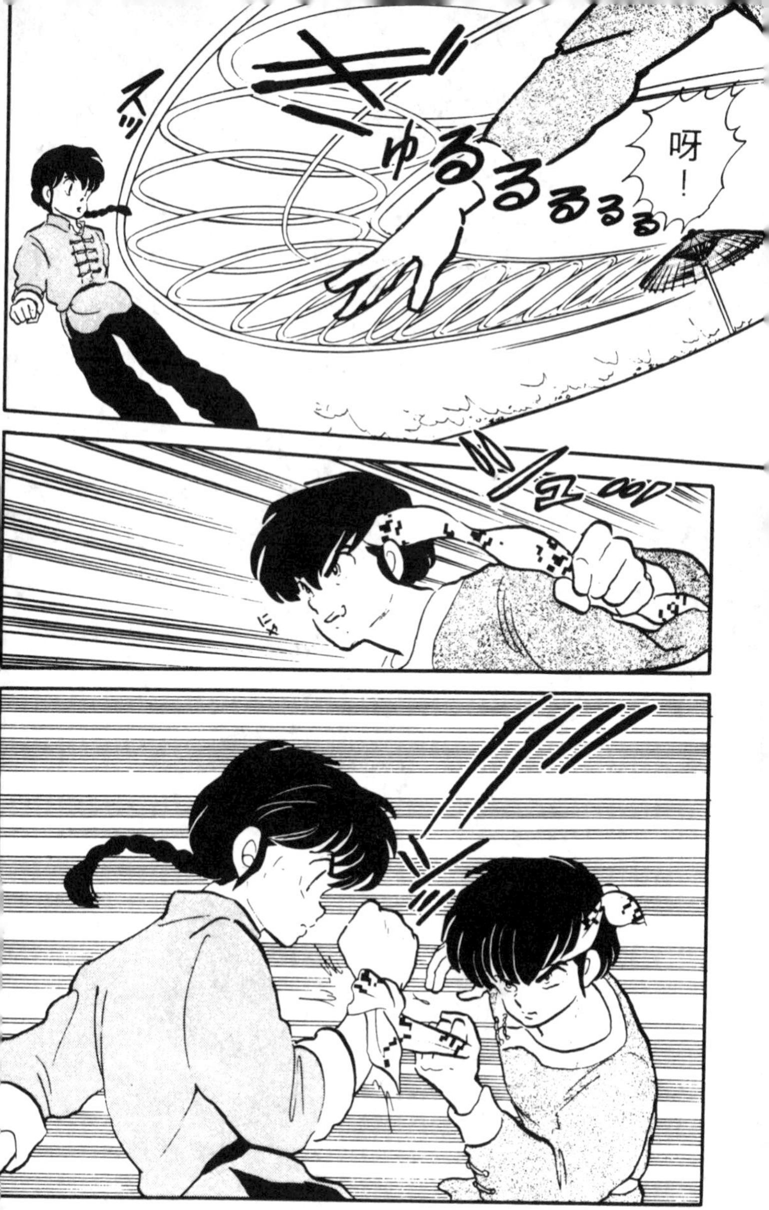
スッ
ぎゅるるるるるる
呀！

亂馬！我不會再讓你逃走。
良牙！你……
算就算！要不要附帶利息？
不！我只要決鬥就好。

ザザ…
ドドガガガガ
哇！
シュシュシュ
ぎゅるるるる
ざわ
好厲害！
ざわざわ
……
實力和亂馬差不多。
哇！
這傘是幹什麼的？

怎麼回事?
ズズ…
這雨傘好重喲!
ずし…
這麼重的傘他竟然能用單手拿起…
他……
亂馬和他差太多。
亂馬!
不能用接近戰!

不能讓他的手碰到！
噢！
要使出全力了。

PART.4
續・對決

亂馬！
他的手刀很厲害！
趕快離開他！
哼！
現在才知道……

太遲了！

啊！
良牙！
你想要怎麼樣？

哼！
先別得意……
你逞不了多久……
咦？
ぐぬぬぬ…
ザワッ

看你放不放手！
用一隻手就能躍起！
啊！

哇！
掉到這邊來。

接招！
哇！

怎麼弄破我的衣服！
比賽激烈中……
不要像個女孩一樣！
むかっ
我那有像個女孩子！
喔！

跨過圍牆！
快去！
わいわい
你方才說的話……
要修正！

亂馬……
在游泳池旁。
わいわい
嘩！哪來的噴水！

!
!?
ザッ

再來吧！
啊！
等……等一下。
你怎麼和剛才不……
你在呆望什麼？

你是……
亂馬嗎？

那種看法，像是個大呆瓜！
亂馬你的……胸部！
啊！
這……
你都不知道你已變成女孩子了？
亂馬，你……
……
哼！
很可笑吧！很奇怪吧！
良牙、
我不知道你爲何如此的怨恨我……

你看看我這身體！
我比誰都不幸！
哼！
可笑！
你的不幸，只是這樣嗎？
しゅ しゅ
しゅ しゅ
嗚……

有這麼可愛的身材…
ひょんひょん
怎麼是不幸！
ひょん
那是無病呻吟！
ばっ…
ヒョン
哇！
ヒョン
ヒョン

喂！快！
這邊！這邊。
わいわいわい
哇！
しぱ
嚇死人!!
我去拿開水！
混……混蛋！
別隨意亂跑！
放心！
啊！

啊！
啊！
别逃！
！

PART.5
沒有受傷

哇！
怎麼樣？
你躲不過的。
瞧我的圓盤！

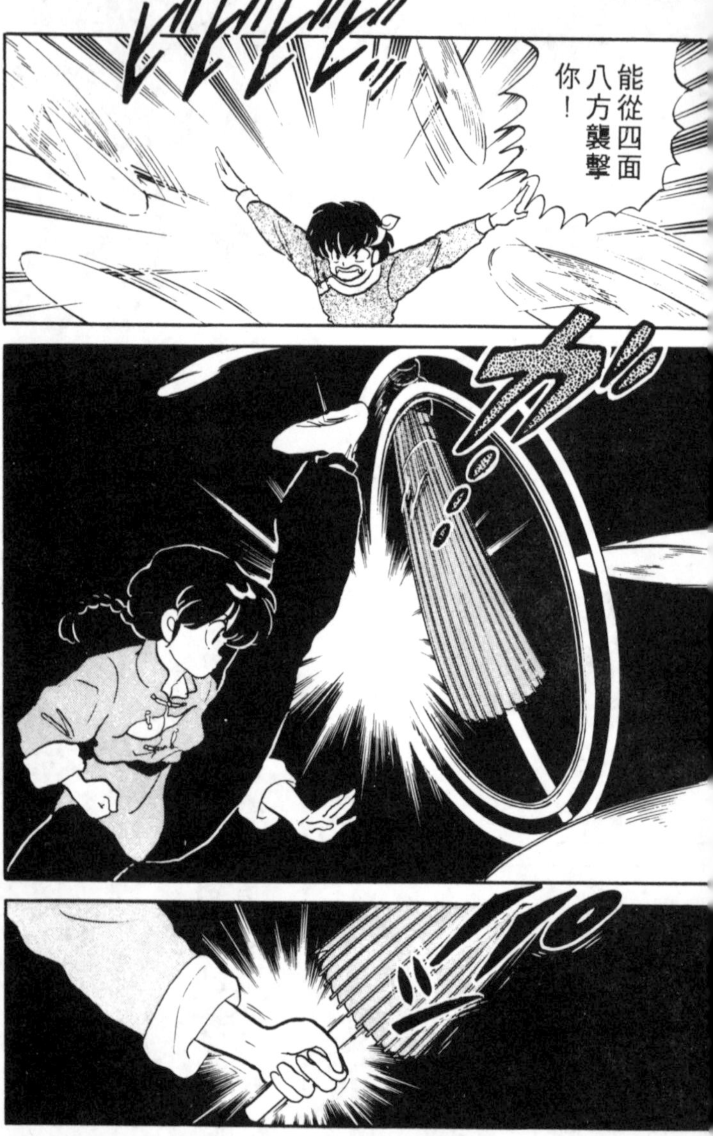
能從四面八方襲擊你！

小茜！抓好！
咦？
哇——啊!!
啊！
啊！
那把傘……

さわ
さわ
さわ
不是很重嗎？
眞的！
逃走的是膽小鬼！
しゅた
你等著瞧！
しゅた
ザッ
フワ…

……
嗚！
サワ…
……
はっ…

妳……
你……
…………
什麼嘛！
討厭！

都……是妳不好！愛管閒事所以……
你才是。
女孩子就不能打贏嗎？
鬼扯蛋……
總之不需要妳的雞婆！這是……男人和男人的決鬥妳別插手。
你哪是男人，你是變態！
ザッ
しゅる
咦？
又要搞什麼花招了。

ピシー
啊！
帶子就像棒子一般……
ピシ
ピシ
ズ
ずごごごご
平常妳就是多餘的。
若沒有你我也不會這樣……

哇！

別趁機轉
移話題！
妳以為妳
是什麼！
我才不是
因為喜歡
妳而抱妳
的！

ぽんっ
我不用你擔心……
再見！

這……
小茜……
你看那裡！
吵死了！
ぎゅるるるる……

るるる…
等一下！
ぴた
我……
たたたっ
別說了。
くるっ
今後我的一切和你無關……

パサ

しーーん
パサ…
小茜……
呆住了。
那是必然的。

長髮被剪掉了那是不得了的事。
你不明白女孩子的脾氣嗎？…
妳是誰？
我！
對啊！妳是誰呀？
亂馬到那兒去了？
……
現在不是説這些話的時候！
是小茜的事…
她沒受傷吧？
是沒受傷，但頭髮不見了。
ひゅ——…

是我不好……妳打我。
妳也打我。
妳不要擔心！
打到妳痛快爲止。
ぎゃあ
ぎゃあ
ぎゃあ
ばさささ…
還眞的打呢！
……

とぼ…
……
るかめ堂
がどんっ
啊！痛……
ずきっ
被絆倒時扭傷的。
她很憤怒。
ぶるん
ぶるん
ぶるん
去給許大夫看。
よろ…

PART.6
好可愛耶

天道道場
……
小茜，妳要小心。
許大夫！再見了。
ほねつぎ
啊！小茜。
啊！是小霞姊姊。

妳又打架了？
很抱歉！我妹時常麻煩你。
かちゃかちゃかちゃ
嗨！
這！
那有。
沒什麼！
もじもじ
わしゃわしゃ
大夫……
小茜！妳真像是個男生。
再不像個淑女的話，許大夫會不喜歡妳的。
如果我也留長髮，
我也會像姊姊一樣……

……
こんこんこんこん
ぐわらっ
我……
你以爲我會抱頭大哭嗎？
嗯！
那你就錯了。
ぴしゃっ
給我滾！

ことこと
嗯。
真好吃。
小茜！
妳回來了。
ギシ…
どたたた
はしっ
姊，妳是不是見到鬼了？
小茜，妳的頭髮？
はあはあはあ

那是……
我只是想改變一下髮型。
姊，幫我剪漂亮一點。
唉！
我再也不會麻煩你了。
再見！
我應該向她道歉。
今後我的一切和你無關……

小茜她腳痛去……
許大夫那兒。
「在學校發生什麼事？
喂！
小茜！
たったった
すたっ
啊！
抱歉！認錯人了。
你在找誰？
我……

怎麼這種表情？
小茜，是妳？
你都認不得我了。
……
我……
很抱歉！
不！
這樣很涼快。
是嗎？
嗯！

其實……
我很早就想去剪頭髮。
腳還好嗎？要不要背妳？
不用！我現在心情很不好。
ほねつぎ
はり・灸
小茜！

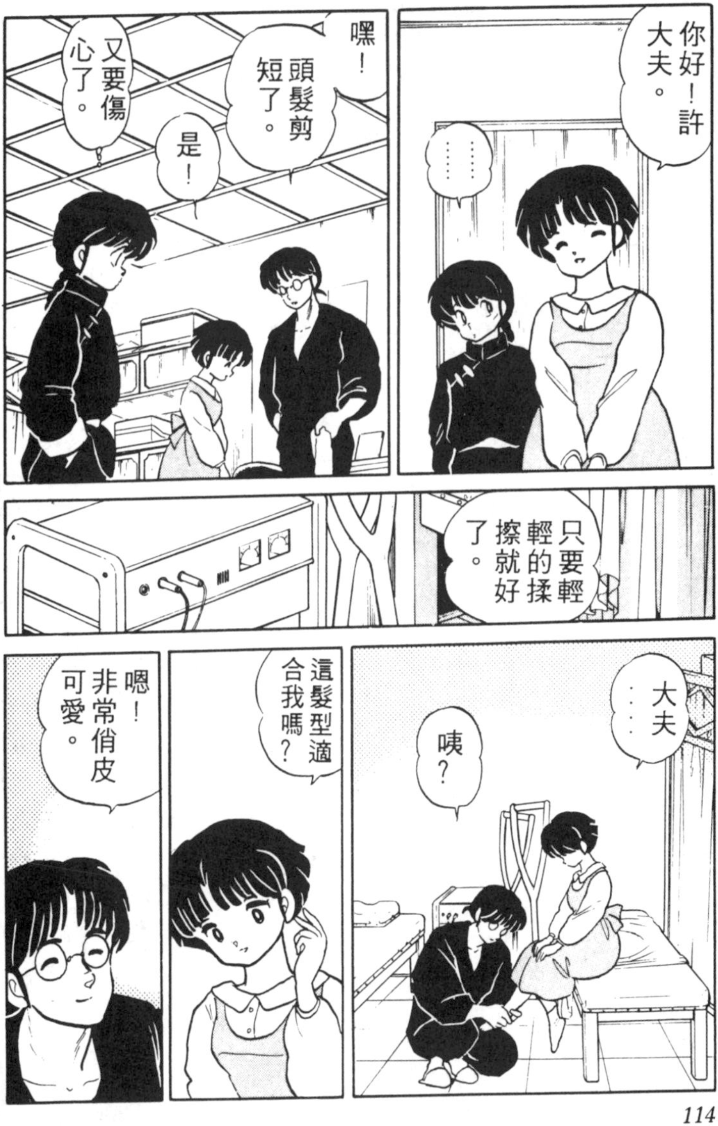
你好！許大夫。
……
嘿！頭髮剪短了。
是！
又要傷心了。
只要輕輕的揉擦就好了。
大夫……
咦？
這髮型適合我嗎？
嗯！非常俏皮可愛。

眞的，妳很適合短髮。
嘻！
謝謝。
ぽつ…
……
ぽろ ぽろ
會痛嗎？
抱歉！
不！不是。
你誤會了！你別停止呀……
眞的不會痛！
……

怎麼了？
ぽんっ
許大夫！
わあああっ

嗚！
嗚！
大夫！
……
不是打哈欠的時候。

……
嗯！
哈！
哭過後，舒服多。
怎麼了？
亂馬？

眞可愛!
許大夫這樣說的… 不是嗎?
眞好。
已經沒事了。
希望眞的沒事。
許大夫他喜歡的是大姊。

真好。
我也可以調整我的心情。
我忘了告訴妳……
しゅたっ
這髮型很適合妳。

……
怎麼這種表情？
你是不是發燒了？
妳才發燒！
那就好。
你也用不著安慰我。
我沒這個意思！
是真的很可愛，
我是讚美妳！
我覺得我一點都不可愛。
我比較喜歡妳現在這樣子。
不！
我只是……
說我喜歡短髮。

亂馬！
……
謝謝你。
我很高興！
眞的？

眞的！
嗯！
我是說眞心話呀！
好可愛…
嘻……
つん

活該！
妳太過份了！
罪有應得！
妳！
哼！
此時的響良牙‥‥
等著瞧！亂馬。
我會到天道道場與你一決勝負的！
又迷路了！
ざっざっ
ざぶーん

PART.7
良牙変身

天道道場
是天道道場沒錯。
今天非殺了亂馬不可！

ザッ
チッ
チッ
すーすー
起來！亂馬！
我是良牙。
決勝負。
亂馬！
すーこ
すーこ
快起來！
ごろん

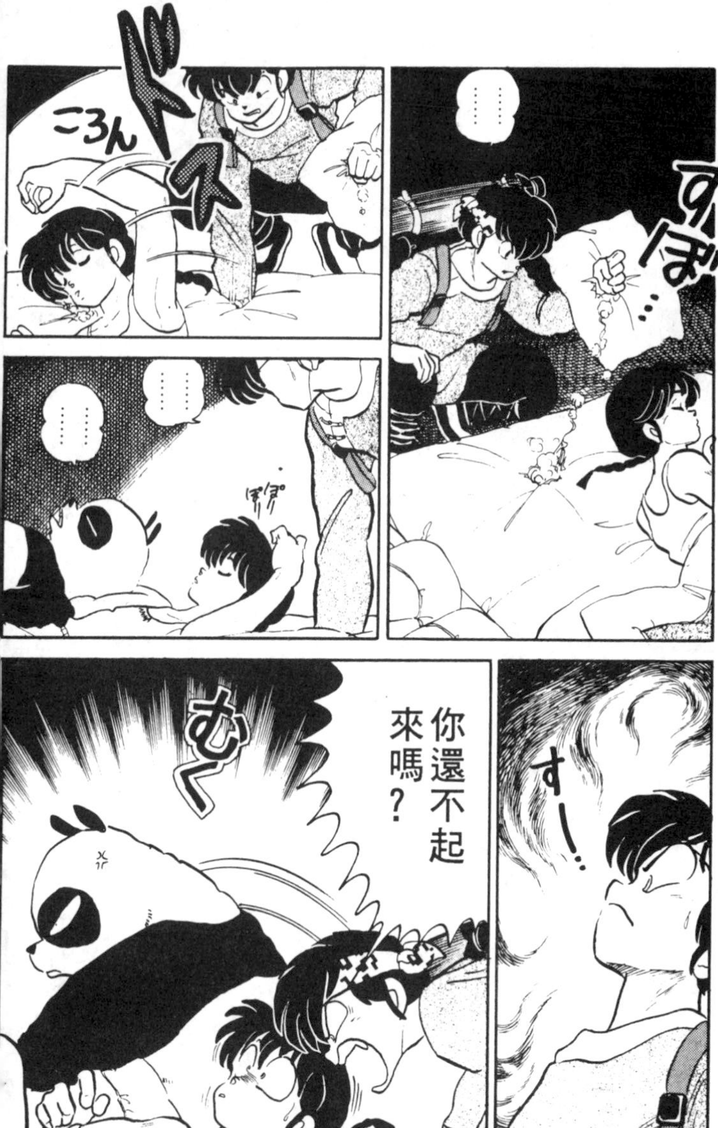
……
ずぼ…
ころん
ドスッ
……
……
ぽりぽり
すー…
你還不起來嗎？
むく

ぐわらっ
吵死人！
ぺん
ぺん
哇！
這！
がぼ
呀！
這！
がぼ

良牙、
你幹什麼？在這三更半夜……
少廢話！復仇那有分半夜和白天的！
原來！
太過份了！你這種怨恨太不合道理……
你的遺言只有這些嗎？
ゴロロロ…

我爲了你爽約決鬥的事，追你……
到了中國！
啊？
……
難道你掉進了咒泉鄉……
遇到水就會變身……
別說了！

沒容得你說話的餘地！
庭院裡怎麼這麼吵？
怎麼回事？
姊姊。
會是小偷嗎？
可能。

啊！
果然是小偷，拿著大包裹……
打死他！
不行！這樣出去很危險。
這！
用這個！
啊！

くわん
わんわん
ぽろ…
ぼてっ
良牙！
しゅっ
シャ
良牙…？
他不是亂馬的朋友嗎？
ほっ
バシャ
バシャバシャ

しゅた
しゅた
しゅた
しゅた
パシャ…
良牙的包包……
這衣服……
他的，沒錯！
ルルル…
ばしゃ…
良牙…？

ルルル…
ザー
たん…
半夜被吵醒眞討厭。
ぴくっ
有什麼東西？

誰!?
出來!
ガタタタッ
ガタッ
哇——!
討厭!
碰!

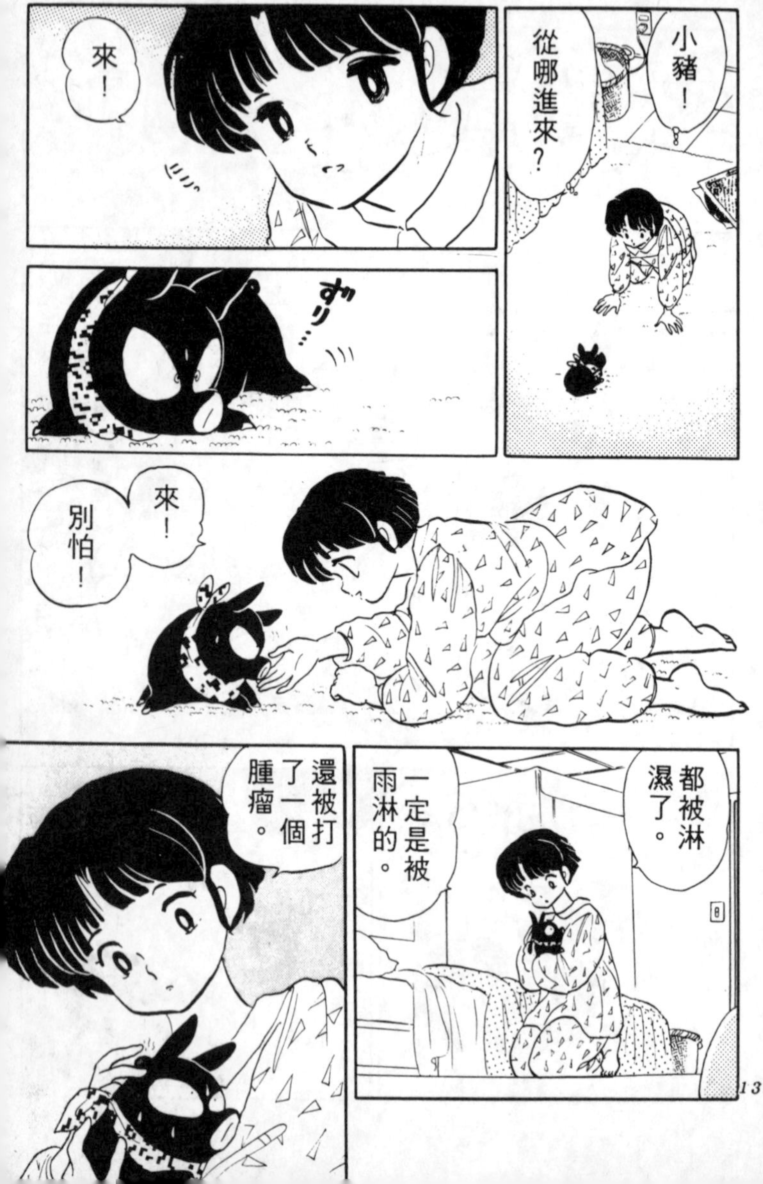
小豬！
從哪進來？
來！
ずり…
來！別怕！
都被淋濕了。
一定是被雨淋的。
還被打了一個腫瘤。

對呀！良牙！
你也眞可憐。
以後千萬別夜襲和早襲。
我寄住在這，你會丟我的臉哦！
おん？
亂馬，那隻狗是那來的？
小茜。
妳怎麼抱著那⋯⋯奇怪的肥豬。
你怎麼在生氣？

乖一點，
我幫你敷藥。
……
牠怎會臉紅？
不知道。
眞奇怪，還是隻——公的。
啊！眞的嗎？
好痛！
亂馬！那隻狗？
……

放心，良牙。
我會保守秘密的。
那隻狗好像是山田先生的。
是嗎？
就是這隻。沒錯。
おんっ
ばたばた
とたたた
しゅんしゅん
頭轉過去。
くりっ
じょぼぼぼ
幹什麼？
ぷるぷる
咦～～？
ぷるぷる

眞混蛋！
妳要去那？
洗澡。
因良牙的關係，全身被淋濕了。
くしゃん
也幫他弄暖和點吧！
ぶきー
什麼？和豬一起洗澡？
可是……
沒關係的。
良牙那傢伙跑去那兒了……
ぶきー
ぶきー
ぶきー

你呀！
還是給我乖乖的。
下去！
どぼーん
がぼ
がぼ
がぼ
……
啊！

PART.8
恨是理所當然的

しーん
天道道場
良牙…你是……
豬?
哼!
我殺了你!
哇!等等!

你果然到了咒泉鄉……
爲了找你，我踏遍了中國……
亂馬這傢伙，
要決鬥卻爽約！
ざっざっ
那一天……
決定我命運的日子……
ドドドドドドド
咦？

哇！
等我！父親！

ガラガラ
ガラガラ
わあああああ
ばしゃーん
我因那奇怪的女孩，掉落到泉水中……
然後……
ガボガボ

我的身體……
あっぷあっぷあっぷ
就變了！
恐怖的事接連著……
ひょいひょい
ぷぎ〜
你在哪捉到這隻乳豬？

眞好！可以加菜了。
ぶキー
聽説咒泉鄉裡有黑豚溺泉的泉水……
しゃ〜〜こ しゃ〜〜こ
ぷう〜 ぷう〜
キー キー
是一千二百年前，黑色小豬……溺水的悲劇傳説。
ぐら ぐら ぐら
從那之後溺泉的人，都變成黑色的小豬。
ぶき〜 ぶき〜
希望牠不是掉落黑豚溺泉的人。
こく こく
開玩笑的！
わははは

ざばざばざば
你！
你！
你！
他……是人，又泡湯了。
しーーん
變成這令人作嘔的身體……
不如被吃了的好。
這都該怪你，亂馬！
是因你爽約而引起的。
等一下！
踢你入泉水的是奇怪的女孩？

那又怎麼？
那麼你氣我，就不對了。
はっ…
氣應該氣那熊貓和那女子……
……
ぽちゃーん
ぐゎら

真是失禮了。
ぴしゃっ
熊貓……
對了……
那奇怪的女子……
亂馬！
就是妳！
どばっ
哇！

我要殺了你！
等一下！等一下！
嘩！好冷！
你冷靜點啊‥‥
わなわな
冷靜，才好説話。良牙！
好痛！

咦？
怎麼這麼吵？
別跑！
你的手段太卑劣了。

亂馬！
你在幹什麼？
有種就別躲在女孩子的後面！
ささささっ
ふーっ
ばっ
你這隻笨豬！
我在和你說話，你不知道嗎？
住手！
我的胸！
振作點。

ぶるぶるぶる
ぽろぽろ
好可憐！走吧！
喂！妳要帶他去那裡？
抱去睡覺。
什麼！
等一下！
那隻豬……
乖孩子，別哭了。
啊！

怎麼回事？
わなわな
どだたたた
？
混蛋！
我不會讓你胡來的。
眞奇怪！亂馬哪根筋不對了！

該不會是……
想宰了牠來吃吧……
不是很可憐？
那牠……
……

すっ
ぴくっ
我要讓你回復原形，
給我乖一點。
—嗯。
きゅーっ
そー…
ぱっ

ぶん
べしっ
びゅっ
しゅた
しゅた
我……
我抓！
しゅた

どすっ
よろ…
啊！
啊！
啊！
……
啊！
啊！
我……錯了。
抓錯了。

ぱん
ぺん
ぺん
因……因為
良牙的緣故……
良牙在哪……
這兒只有你和豬！
どかしゃーーん
亂馬，你晚上能不能安靜點？
害我整晚都睡不著。
還這麼有精神。
再一碗。
誤會了！
受難的家族。

PART.9
黑玫瑰－游小雲

ヒュ
好可愛的小姐，多送妳一個包子。
伯伯！謝謝你。
哈！買東西還是女孩子較好。
菓子の
花びし
ヒュ

你們都是風林館高中的吧？
先別焦急。
一週後，就有比賽了。
廢話少說！
我們已等了好久了！
爲什麼包紗布？
要在這兒殺了妳！

覺悟吧！
別說大話。
看招！
嚇！
咦？

不識相的人！
這樣！
這樣！
給你們好看！
痛！
！
ルコー

可以住手了！
已分出勝負了。
能抓著我彩帶的人……
不是平凡的人……
嗯……
妳也不像是平凡的女人。
じりっ

我……
不錯！
但不須妳多管閒事！
啊！

妳還滿有實力。
我是聖貝魯克學院的……
黑玫瑰。
請記住。

……
しゅた
しゅた
ほほほほ
眞令人氣憤。
しくしくしくしくしくしく
男孩子不能哭的。
うぐぐぐ
我們是女的！
ぱっ
ぱっ
ぱっ
風林館高中新體操社的。
他們……
是我班上的女同學……

無差別格闘流
天道道場
妳們怎麼啦？
小茜!!
ぼろぼろ
だらだら
我們很氣憤！
ぼたぼたっ
新體操社的全都受傷了？
被出其不意偷打的。
想要我們退出比賽。

這……
要我……
出去比賽？
小茜！拜託！
求妳救救我們！
爲了這次的比賽！
爲新體操而博鬥！
爲什麼？
因爲……
兩校代表在比賽，是以新體操的技巧和道具！
図解

我雖然不太懂，但知道了一些。
但……
要我去對付妳們的敵人……
がしっ
拜託妳！小茜。
大家安心回去睡吧！
妳會使用道具嗎？
不太會，試試看……
咦？
是誰？

良牙…
你到那兒去了？
我好擔心！小P。
小P？
Pig的P。
喔！
乖乖在這兒。
亂馬，可不准你欺負他。
ころっ

良牙！我看你永遠當豬好了。
カにぷ
我説過，不准欺負他。
みし…
ぴしいっ
開始！
ぽーん

からん
別害羞，去拿過來。
我知道。
練習彩帶。
若被糾纏住，不用害羞。
吵死了。
ポン

ころん
ばき
弄壞了圈圈也不用害羞。
算了，不練了！
だんだん
想要表演得優雅，
要先不怕羞。
かぽーん
呼！
カラ…
ぶいぶいぶい

どぼん
がばっ
すたすた
……
かぽーん
眞沒用！討厭！討厭！
可不是我的緣故。
要不要我教妳？

良牙……
小P！你怎麼啦？
誰是小P？
你知道誰是小P的。
良牙，別生氣嘛！
かあっ
我……
彩帶。

哇！
ズバシッ
パシーン

じ～んんん
好棒哦！
不！
かあっ
は～は～
痛死我了。

〈刊載於日本小學館週刊少年「SUNDAY」・昭和62年44號—昭和62年52號〉

——亂馬½ 2・完——

看漫畫 ★ 找大然

本土漫畫作品大出擊
精緻漫畫創作系列

星座刑事

⊙漫畫 **高永**

12宮星座統計人性弱點，
聰明的「海克力斯」，
利用它窺視，
最深沈黑暗的秘密。

星座刑事① ／**續集◉公主漫畫雜誌連載中**

梵天變①、2／

大然文化事業股份有限公司
台北縣三重市光復路一段130巷1號　TEL：995-9688
歡迎利用郵政劃撥／15467021 戶名／林啓民
全省漫畫便利屋⊙超商⊙7-11均售

亂馬½（七笑拳）②

原著名　らんま½②

作　　者　高橋留美子
譯　　者　劉錦秀
發 行 人　呂墩建
出 版 者　大然文化事業股份有限公司
登 記 證　行政院新聞局局版台業字第5809號
發 行 所　大然文化事業股份有限公司
辦 事 處　台北縣三重市光復路一段130巷1號
網　　址　http://www.daran.com.tw
郵購帳號　17714023　⊙戶名　大然文化事業股份有限公司
（如欲郵購，請另附郵資）
承 印 者　大然伊士曼彩色印刷股份有限公司
法律顧問　黃璧川律師　蕭雄淋律師　顏志鉻律師(按筆劃順序)
服務專線　(02)999-0003

版　　次　初版一刷　81年 9月　初版十七刷　86年 9月

ISBN 957-725-114-5

少年館 COMI